Jeu
du monde

Photos des agences
Biosphoto
Corbis
Explorer – Hoa-Qui – Jacana
Gamma
Photo12.com
Rapho
Sunset

MILAN
jeunesse

Ces jeunes **AFRICAINS** ont noué plusieurs lianes
pour fabriquer une corde à sauter. Malin !

À deux, c'est mieux! Ces petits **INDIENS** partagent
la même balançoire. C'est bien plus amusant!

En **BIRMANIE**, ces apprentis moines s'appliquent
pour envoyer des billes dans les trous creusés dans la terre.

On joue à la marelle dans beaucoup de pays, comme dans cette école du **ROYAUME-UNI**. Attention à bien sauter dans les cases !

En **CHINE**, la gymnastique est un sport très pratiqué. Pendant la récréation, cette petite fille s'entraîne avec des anneaux !

Comme c'est joli ! Ces **THAÏLANDAIS** font des bulles qui s'envolent vers le ciel en prenant des reflets multicolores !

Un toboggan géant! En **CALIFORNIE**, pas besoin d'attendre
son tour pour faire une belle glissade!

Ce jeu traditionnel **JAPONAIS** s'appelle le *goma*. Il faut beaucoup de concentration pour garder en équilibre la toupie sur le petit piquet !

Cette fillette **NÉPALAISE** doit faire rouler son cerceau
le plus loin possible en le dirigeant avec une baguette.

Ce petit **KÉNYAN** joue au hula hoop. Il fait tourner son cerceau autour de sa taille en se dandinant. Dur de ne pas le faire tomber !

Autrefois, les ancêtres aborigènes de ce petit **AUSTRALIEN** utilisaient le boomerang pour chasser. Aujourd'hui, c'est plutôt un jouet !

Quel beau bateau ! Cette jeune Malgache fait voguer
son modèle réduit dans les eaux claires de **MADAGASCAR**.

Est-ce un papillon géant ? Non, c'est un spectaculaire cerf-volant
de compétition, à Bali, en **INDONÉSIE**.

Pour la fête de leur école, ces élèves **TAÏWANAIS** se sont déguisés
en mettant leurs plus beaux masques de souris !

Pour jouer au football, il faut juste un ballon… et des copains !
Pas besoin de terrain pour ces garçons du **SRI LANKA**.

Le sport est obligatoire à l'école. Ces jeunes du **KENYA** jouent au volley, et ont l'air de bien s'amuser !

À cheval sur une branche d'arbre! La savane africaine est un terrain de jeu idéal pour ces enfants de la tribu himba en **NAMIBIE**.

Ce labyrinthe est entièrement fait de bottes de paille.
Pas facile de retrouver son chemin pour ces petits **AMÉRICAINS**!

Une planche, quatre roues, et voilà un beau bolide
pour se promener sur les plages du **BRÉSIL**. Bon voyage !

Avec un peu d'imagination et du fil de fer, ce petit **NAMIBIEN**
s'est fabriqué un beau camion !

Regarde l'ours de neige que ces petits **RUSSES** ont sculpté.
On dirait presque un vrai ! Bravo !

Quel bonheur de faire les fous dans la neige ! En **EUROPE**,
les enfants adorent dévaler les pentes enneigées à bord de leur luge.

Tous ces jeunes **SÉNÉGALAIS** se sont réunis autour du baby-foot.
Et comme pour un vrai match, chacun supporte son équipe !

Pas besoin d'être grand pour jouer au billard.
On dirait que ce petit **CHINOIS** est déjà un vrai champion !

On appelle ce jeu de société « les échecs **CHINOIS** ».
Les règles sont compliquées, alors il faut bien se concentrer !

Pour gagner à ce jeu **TANZANIEN**, il faut envoyer son palet
dans l'un des quatre trous. Avec quoi ? Avec ses doigts !

Ce jeu traditionnel africain s'appelle un *awalé*. Ce petit garçon du **MALAWI** y joue avec son papa, encouragé par ses copains !

Un simple jeu de cartes, et on peut s'amuser pendant des heures !
Ces enfants font une partie dehors, sous le soleil **BRÉSILIEN**.

Ces **SRI LANKAIS** disposent leurs quilles avec soin. Ensuite, il faudra bien viser : s'ils les font toutes tomber avec leur balle, ça sera gagné !

Grâce à leur console portable, ces jeunes **PORTORICAINES** peuvent jouer à leurs jeux vidéo préférés partout, même dehors.

En **INDE**, les fêtes religieuses sont l'occasion de grandes kermesses.
C'est le moment de faire un tour de grande roue avec tous ses copains !

Au **NÉPAL** aussi, on adore les manèges. On en construit même au milieu des champs. Deux troncs, quelques planches, et c'est parti pour un tour !

Des lettres sont écrites sur ces cubes en bois. Que veut écrire ce petit **EUROPÉEN** ? Peut-être « Viens jouer avec moi »…

Pou⁻ les ancêtres nbeles de cette fillette d'**AFRIQUE DU SUD**,
cette poupée traditionnelle avait des pouvoirs magiques !

Chut ! Ce petit **CHINOIS** a tellement joué qu'il s'est endormi, épuisé.
Attention de ne pas le réveiller !